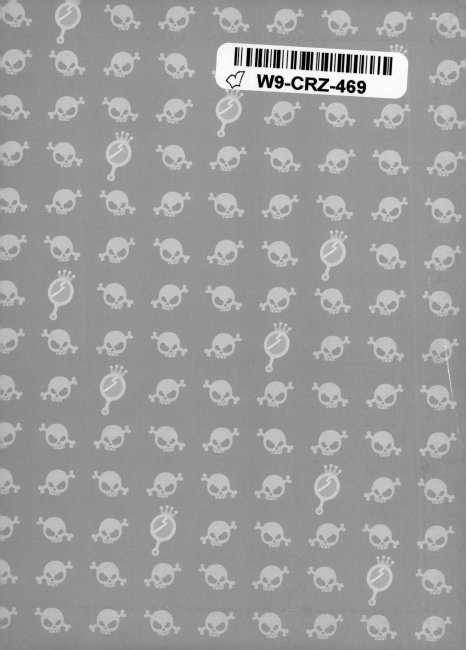

DENT-DURE
ET
Courtepatte
au royaume de Beaumiroir

© 2014, Éditions Auzou
24-32 rue des Amandiers, 75020 PARIS

Direction générale : Gauthier Auzou ; Responsable éditoriale : Maya Saenz-Arnaud
Création graphique : Alice Nominé ; Mise en pages : Mylène Gache
Responsable fabrication : Jean-Christophe Collett ; Fabrication : Abella Lang ;
Correctrice : Catherine Rigal

DENT-DURE
ET
Courtepatte
au royaume de Beaumiroir

Écrit par Yann Walcker
Illustré par Benjamin Bécue

AUZOU *romans* **Premiers pas**

1 Adieu, monde cruel !

Ô, tristesse ! Ôôôôô, désespoir !

Un grand malheur vient de s'abattre sur le royaume de Beaumiroir...

Pire que la guerre, pire que les rats, la faim dans le monde et même la peste noire : le prince Jean-Gloss a perdu… son sèche-cheveux.

Ce qui, bien entendu, est un véritable drame, surtout après avoir gagné dix-neuf fois de suite le « Prix du plus beau brushing », décerné par le célèbre magazine *Stars & Châteaux* !

— Marie-Paillette, ma bien-aimée, au secours, à l'aide, je meurs, je suis tout décoiffé ! se lamente le prince, dont le teint rose poudré vire peu à peu au bleu dragée.

— Quelle nouille vous faites, mon pauvre ami ! répond la princesse en éclatant de rire. Mais au fait, j'y

pense… essayez donc mes barrettes !

— Et pourquoi pas un serre-tête, tant que vous y êtes, espèce de gourde ! s'énerve Jean-Gloss.

— *Tss tss tss*, quel langage, très cher, se moque Marie-Paillette en tartinant ses ongles d'une épaisse couche de vernis jaune.

En vérité, Marie-Paillette est ravie, car c'est elle qui a caché le sèche-cheveux de son fiancé.

Pourquoi ? Pour être la seule à passer dans l'émission de télévision « Top-Sire », le concours de beauté présenté par le délicieux Gontran de Toutentoc, bien sûr !

Car, selon la loi de Beaumiroir,

« Celui qui Top-Sire gagnera, pour un an gouvernera ».

Et, comme chaque année Jean-Gloss remporte la victoire, tout le royaume est obligé de s'habiller en violet, sa couleur préférée…

— Du violet, quelle horreur !!! enrage Marie-Paillette. Alors que le turquoise va si bien avec mes yeux ! Mais cette année, par les bottines de Sainte Yvonne, c'est moi qui porterai la couronne !

2 Le pari des pirates

Pendant ce temps, Dent-Dure et Courtepatte, deux affreux pirates aussi méchants que bêtes, regardent la télévision sur leur bateau pourri.

— J'ai faim... Tu me donnes un

petit morceau de semelle ? gémit Courtepatte en salivant.

— Pas question, gros tas. Tu n'avais qu'à pas finir le chat ! répond Dent-Dure en mâchant.

Et tandis que Courtepatte, furieux, essaye d'enfoncer sa fourchette dans l'œil de son complice, une publicité attire soudain leur attention.

« Oyez, oyez ! Moi, Gontran de Toutentoc, déclare ouvert le grand concours Top-Sire ! Comme vous le savez, le vainqueur règnera sur Beaumiroir durant un an. Aussi, chers amis, je vous dis à bientôt… et souvenez-vous que dans la vie, l'important c'est d'être beau ! »

— Fantastique ! se réjouit Dent-Dure, un éclair mauvais dans les yeux. Nous devons à tout prix participer à cette émission stupide !

— Et pourquoi donc ? demande Courtepatte qui a l'esprit aussi vif qu'une limace.

— Parce que, pauvre crétin, ces gens sont si obsédés par leur apparence qu'ils oublient de penser aux choses vraiment utiles… comme prévoir une attaque de pirates, par exemple !

— Pfff ! On ne t'acceptera jamais… tu es beaucoup trop laid !

— Et toi, tu te crois joli, peut-être ? rugit Dent-Dure, vexé. Tu ressembles à une vieille patate plantée sur un cure-dent ! Mais j'ai une idée… as-tu toujours cette malle, pleine de robes, que tu as volée à ta mère l'an dernier ?

Aussitôt, la « vieille patate » rougit en disant oui de la tête…

— Très bien ! conclut Dent-Dure. Alors, fais-moi confiance et je te parie que demain, nous serons riches. À nous la vie de château, ou sinon… je mange mon chapeau !

— Youpi ! glousse Courtepatte en se tapant la cuisse. Pari, tenu !

3   Carmen et Rosetta !

Le lendemain, vêtus d'horribles robes et maquillés comme des carrosses volés, Dent-Dure et Courtepatte arrivent à Beaumiroir.

Tout le village se bouscule déjà

autour du plateau de Top-Sire, dressé comme chaque année dans la cour du palais. Sur l'estrade, Gontran de Toutentoc accueille les derniers candidats.

— Hum, hum… Nous sommes… heu… Carmen et Rosetta, grimace Dent-Dure en prenant une voix aiguë et maniérée. Nous venons nous inscrire au concours de beauté…

— Peuh ! Elles feraient mieux de se présenter à la foire aux boudins ! chuchote Marie-Paillette, sur scène, à l'oreille de sa voisine. Vous avez vu ? Celle-ci a même de la barbe !

— Vous avez raison, très chère. On dirait un sanglier avec du rouge à lèvres !

L'air dégoûté, Gontran hésite à accepter les deux laiderons dans son émission.

— Oh, après tout, pourquoi pas, dit-il avec un sourire parfait qui rappelle une publicité pour du dentifrice. D'ailleurs, comme on dit : « Le ridicule ne tue pas ! »

Hélas pour lui, ce jour-là, justement, si.

Aussitôt inscrit, Dent-Dure retire l'énorme choucroute qui lui sert de perruque, plonge sa main dedans, sort un sabre géant… et embroche le pauvre Gontran !

CHLAAAK !

De son côté, Courtepatte soulève ses jupons, ouvre un des tiroirs secrets de sa jambe de bois, attrape un mini-pistolet et tire sur tout ce qui bouge.

PAN ! PAN ! PAN !

Effrayée, Marie-Paillette s'enfuit dans la forêt en criant comme une folle.

Et pendant que Courtepatte compte joyeusement les morts, Dent-Dure déclare, satisfait :

— Bien, bien … ! Puisque tout le monde ici est d'accord, à partir de maintenant et jusqu'à preuve du contraire, le nouveau roi… c'est nous.

4 Un royaume idéal

Par la fenêtre d'une tour du palais, Jean-Gloss, qui vient juste de retrouver son sèche-cheveux, a tout vu. Aussitôt, son cerveau se met à bouillir : « Mon Dieu, que dois-je faire ? Finir mon

brushing… ou sauver Marie-Paillette ?
Mon brushing ? Marie-Paillette ? Par le
bronzage de Saint Émile, que le choix
est difficile ! »

Mais, lorsque les deux pirates
entrent dans sa chambre et se
précipitent sur lui, Jean-Gloss
n'hésite plus : il saute du balcon et file
au secours de sa fiancée.

— Bon débarras, crie Dent-Dure. Et maintenant, allons piller honnêtement les villageois !

— En effet, Majesté ! ricane Courtepatte. Ne faisons pas attendre nos sujets…

Hélas ! En moins d'une semaine, Beaumiroir n'est plus qu'un champ de ruines. En voyant leur château flamber depuis la forêt, la princesse et le prince sont inconsolables…

— Aaaah, mes petites robes adorées, comme vous allez me manquer ! sanglote Marie-Paillette.

— Aaaah, ma chère bombe de laque, sans toi je suis tout patraque ! pleurniche Jean-Gloss.

Mais au fil des jours, bizarrement, ils s'habituent à vivre sans aucun luxe ni confort. Mieux ! Pour la première fois, ils se sentent même… utiles : Jean-Gloss prend soin des fleurs, tandis que Marie-Paillette, la nuit, délivre les animaux piégés par les chasseurs…

Ensemble, ils construisent un nouveau royaume dans les arbres… et sont bientôt rejoints par tous les habitants de Beaumiroir !

— Vive Marie-Paillette ! crient les villageoises.

— Vive Jean-Gloss ! crient les villageois.

Quel bonheur ! En vérité, jamais la princesse et le prince n'ont été aussi beaux, car leurs visages expriment à présent le courage et la générosité. Grâce à cette expérience, ils réalisent enfin que la vraie beauté… est celle qui vient du cœur.

D'ailleurs, c'est décidé : désormais, ils s'appelleront Jean-Serviable et Marie-Dévouée !

Quant à nos deux affreux pirates, abandonnés à leur triste sort, ils se disputent encore. Il faut dire que leur dîner n'est pas très alléchant : pour Courtepatte, trois asticots, et pour Dent-Dure… son vieux chapeau !

FIN

Les héros des lecteurs débutants
sont dans la collection !

Dent-Dure et Courtepatte
au royaume de Ventremou

Les poudres du Père Limp
Bérengère est en colère

Cosmos Express
Le Crok'planète

Cosmos Express
Planète interdite

Un petit frère, non merci !

Une baby-sitter, non merci !

Table des matières

Un petit mot de l'auteur et de l'illustrateur

Lorsque j'avais ton âge, j'adorais les farces et attrapes. Parmi mes préférées : le poil à gratter, le verre baveur et les bonbons au poivre. D'ailleurs, j'inventais moi-même toutes sortes de gadgets aussi crétins qu'inutiles, mais qui faisaient rire mon entourage et m'avaient valu le surnom d'« ingénieur de bêtises »…

Et le soir, dans ma chambre, je rangeais mes trouvailles dans un meuble rempli de tiroirs secrets. Alors si tu cherchais d'où m'est venue l'idée de la jambe de bois de Courtepatte, je crois que tu as la réponse !

Yann Walcker

Cette fois-ci, nos deux horribles pirates débarquent comme une perruque sur la soupe, au royaume des mèches laquées et des brushings parfaits. Mais contrairement aux habitants de Beaumiroir, j'étais pressé de retrouver les deux pires pirates du monde !

Pour dessiner les nouveaux personnages, je relis toujours plusieurs fois le texte pour bien avoir leur caractère en tête, et je m'inspire souvent des gens auxquels ils me font penser. Pour les habitants de Beaumiroir, j'ai surtout puisé dans les émissions de télé-réalité.

Benjamin Bécue

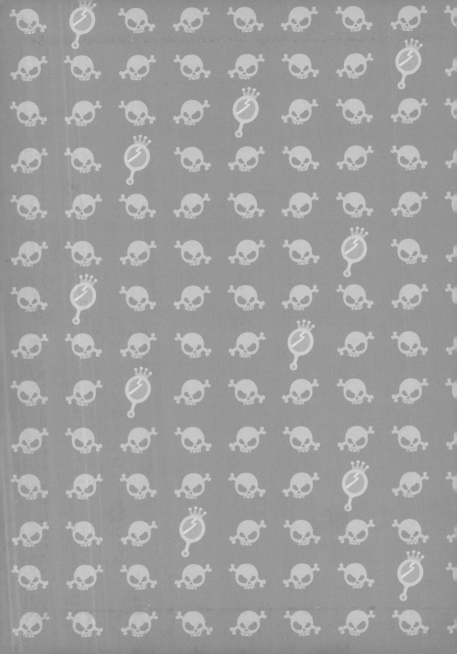